BONJOUR, TU VEUX JOUER?

ALORS, POSE TON DOIGT SUR CE ROND ET FAIS OH !

BIEN.
MAINTENANT, POSE TON DOIGT SUR CE PETIT ROND
ET FAIS UN PETIT OH!

PUIS POSE TON DOIGT SUR CE GRAND ROND ET FAIS UN GRAND OH!

ON CONTINUE ?

SUIS LES RONDS : OH! OH! OH!...                                    À TOI!

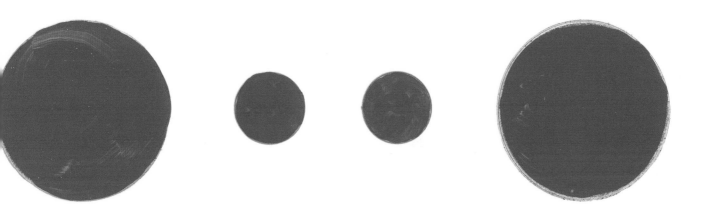

ET SI ON FAISAIT DES OH! OH! OH! DE PLUS EN PLUS GRANDS?

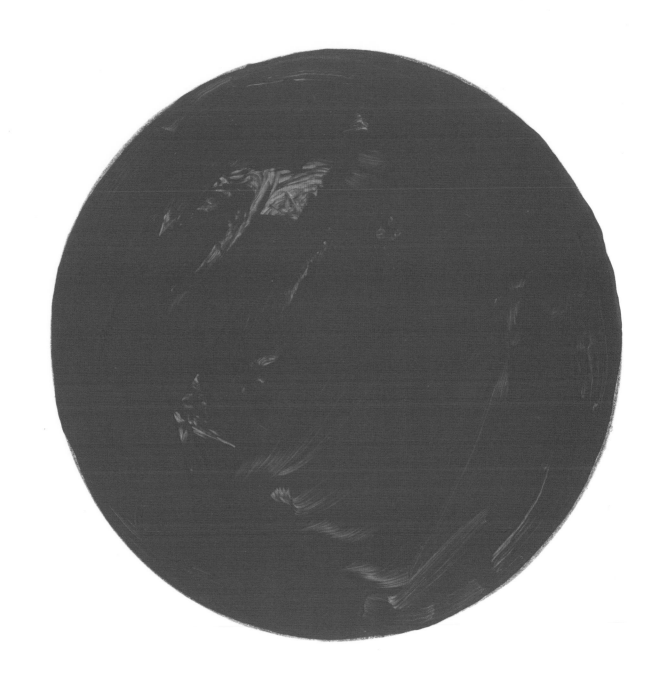

SUPER!

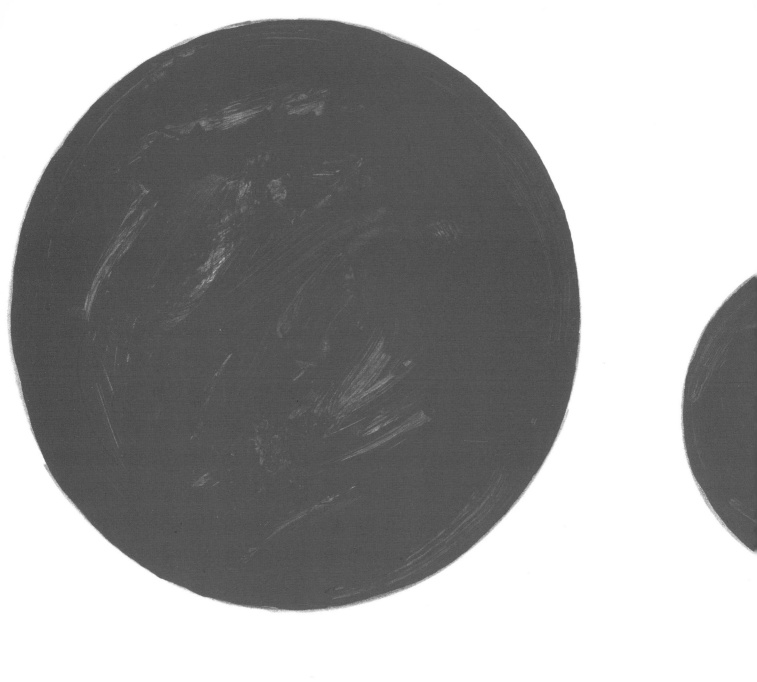

ET MAINTENANT, DE PLUS EN PLUS PETITS. OH ! OH ! OH !...     À TOI !

BRAVO!

ON COMPTE EN OH ?
APPUIE BIEN FORT.

OH! OH!

OH!

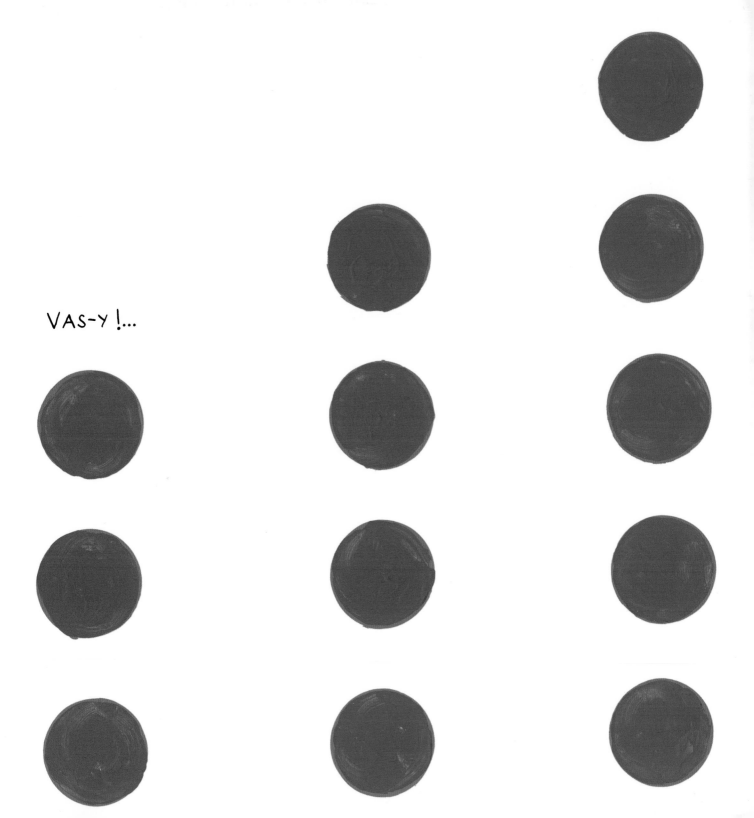

SAUTE DE OH! EN OH! AVEC TON DOIGT.

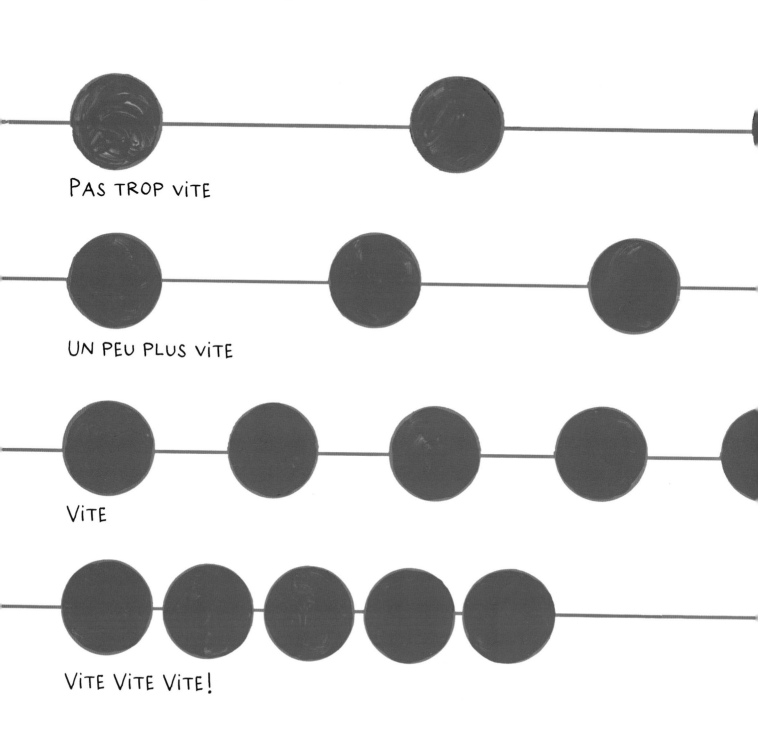

PAS TROP VITE

UN PEU PLUS VITE

VITE

VITE VITE VITE!

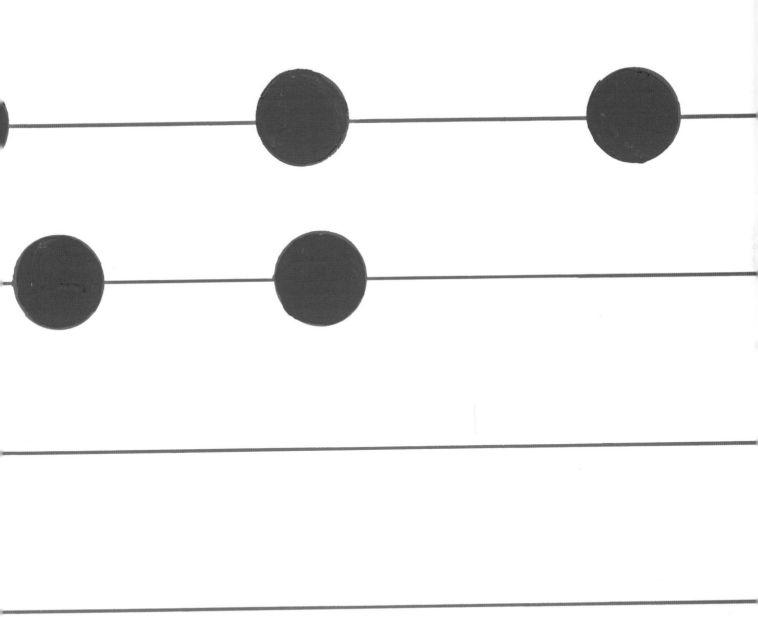

MAGNIFIQUE!

ET MAINTENANT, BEAUCOUP, BEAUCOUP DE OH !

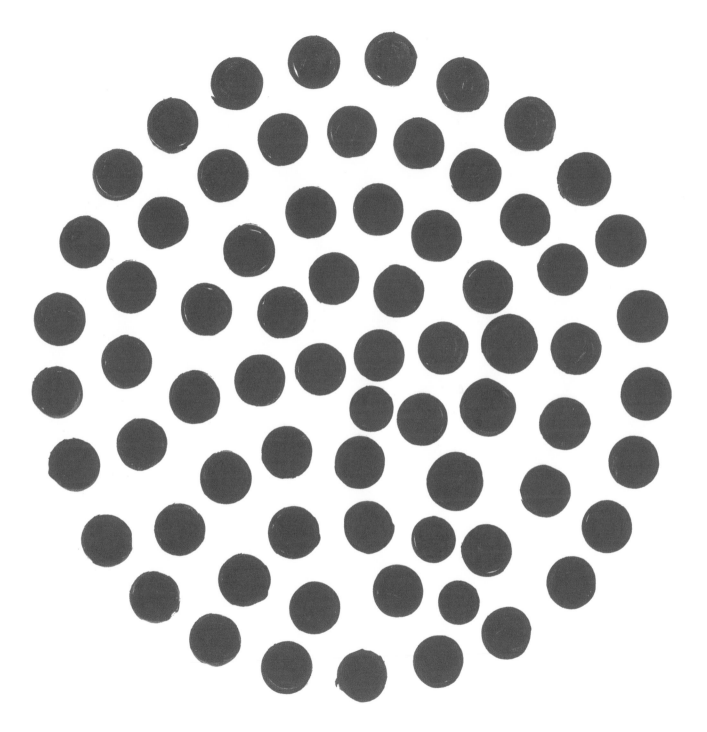

JOLI TRAVAIL, BRAVO!

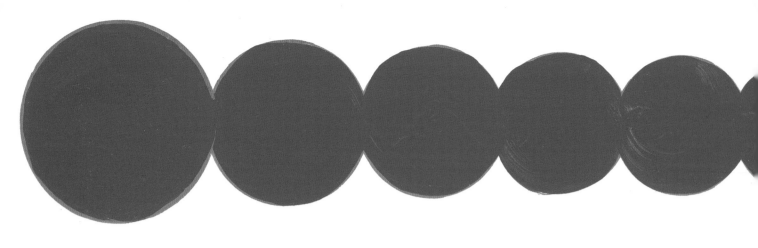

TU ES PRÊT? POSE TON DOIGT EN HAUT, PRENDS TON SOUFFLE,

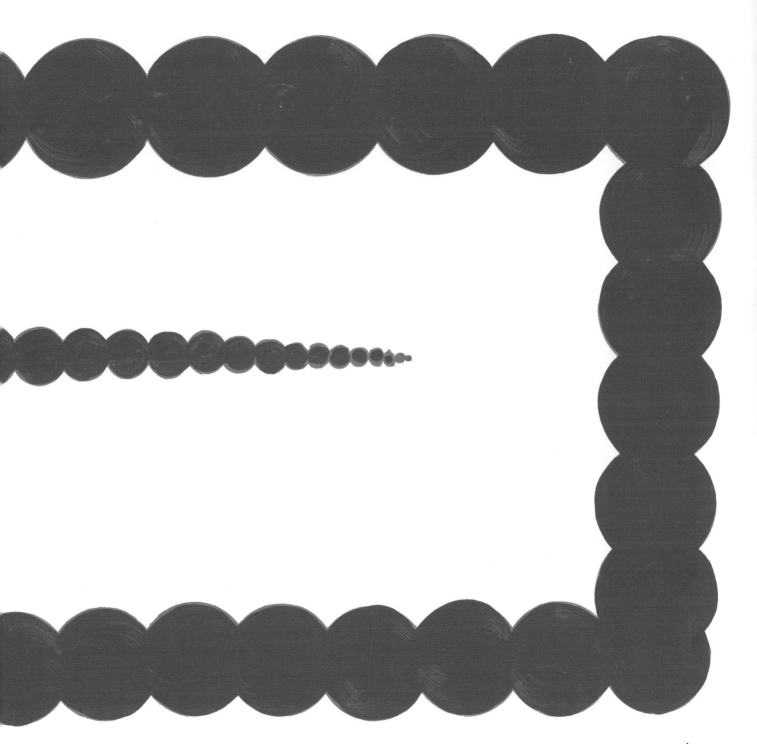

ET C'EST PARTI POUR LE PLUS LONG OOOOOOOOOOOOOOOH DU MONDE !

ET MAINTENANT : UN, DEUX, TROIS, ON SAUTE !

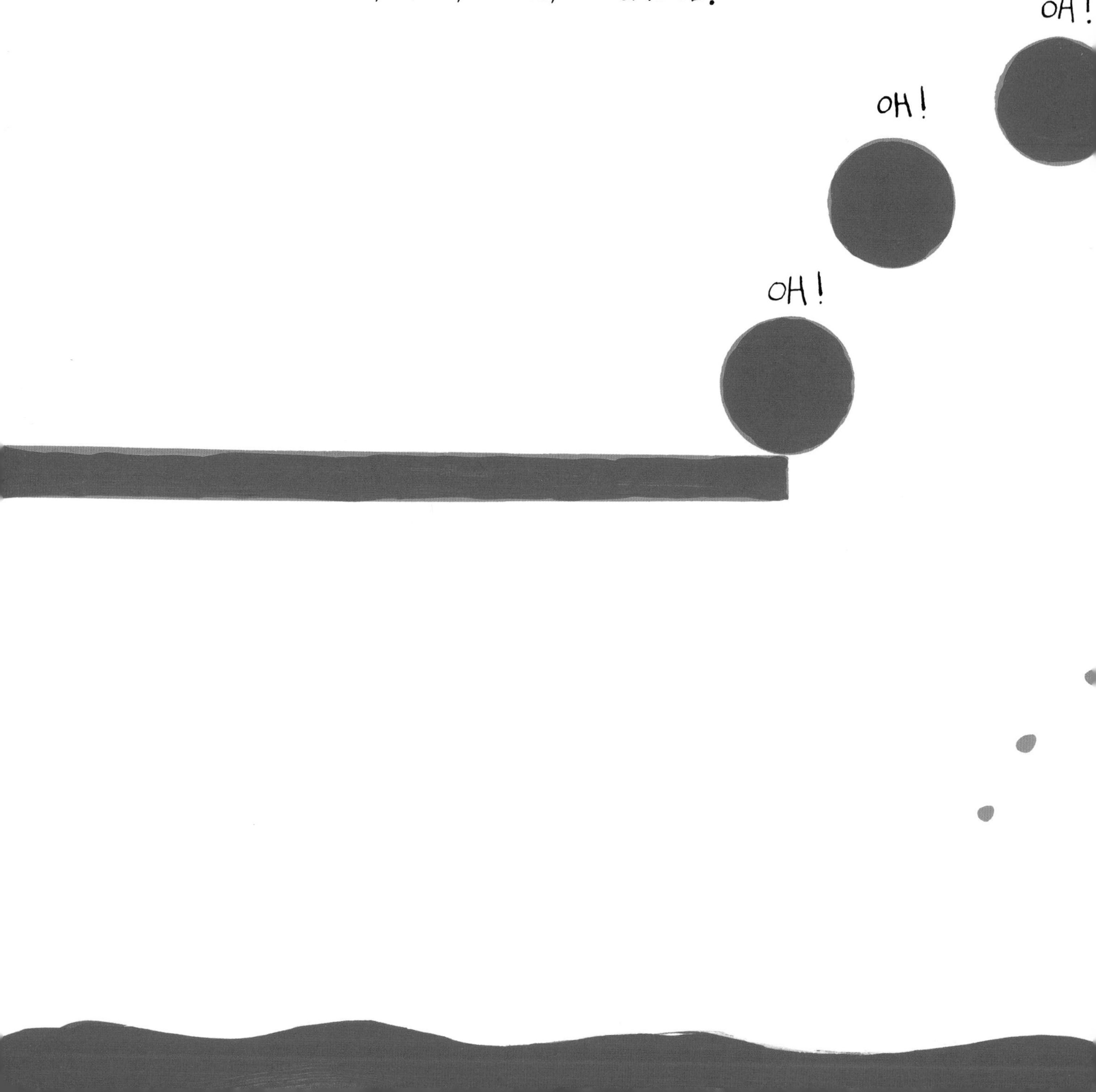

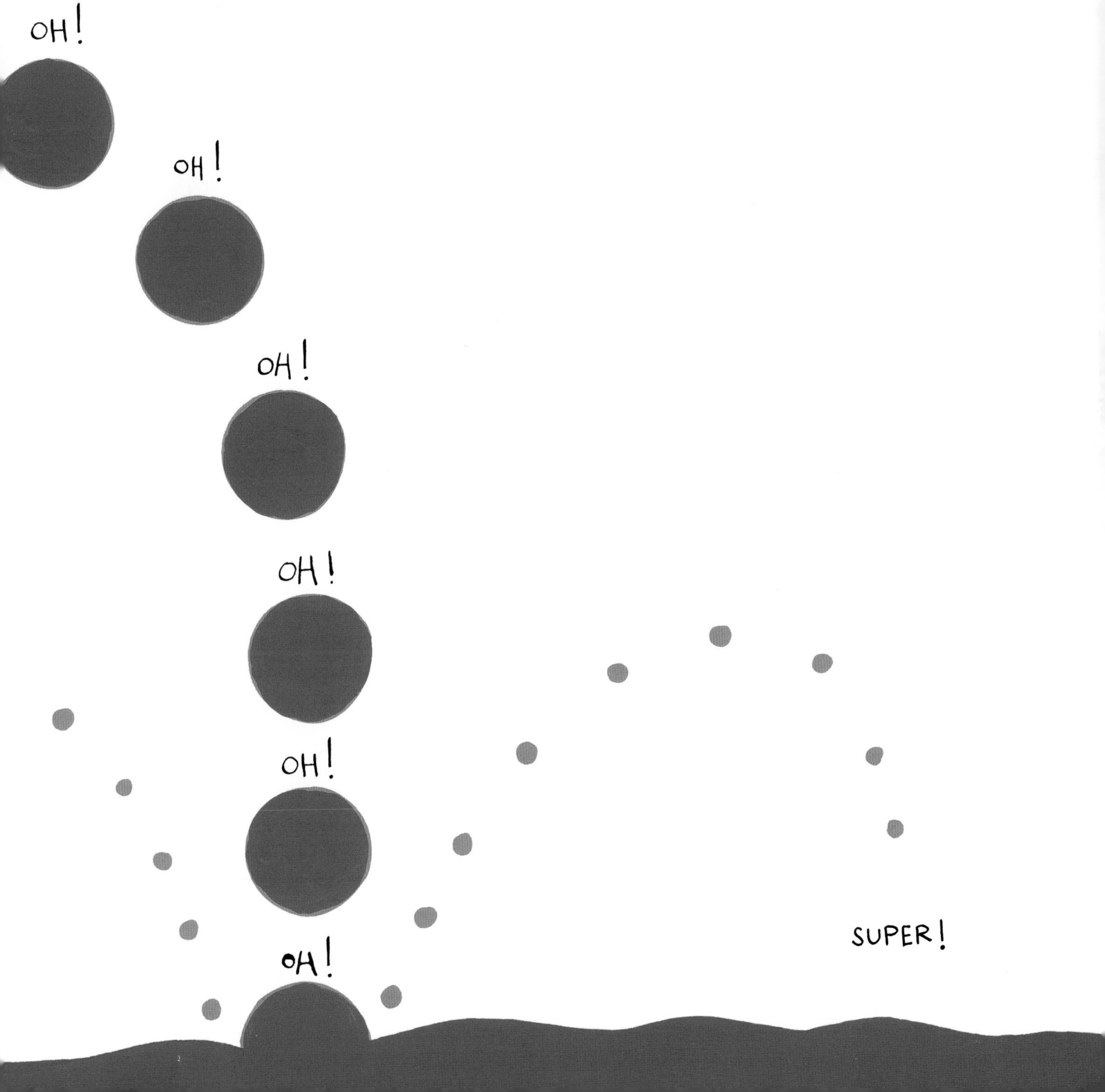
OH!
OH!
OH!
OH!
OH!
OH!
SUPER!

ÉCLATE TOUS LES **OH!** AVEC TON DOIGT!

OH!

OH!

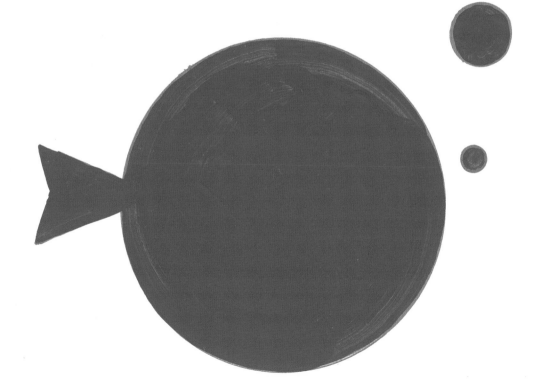

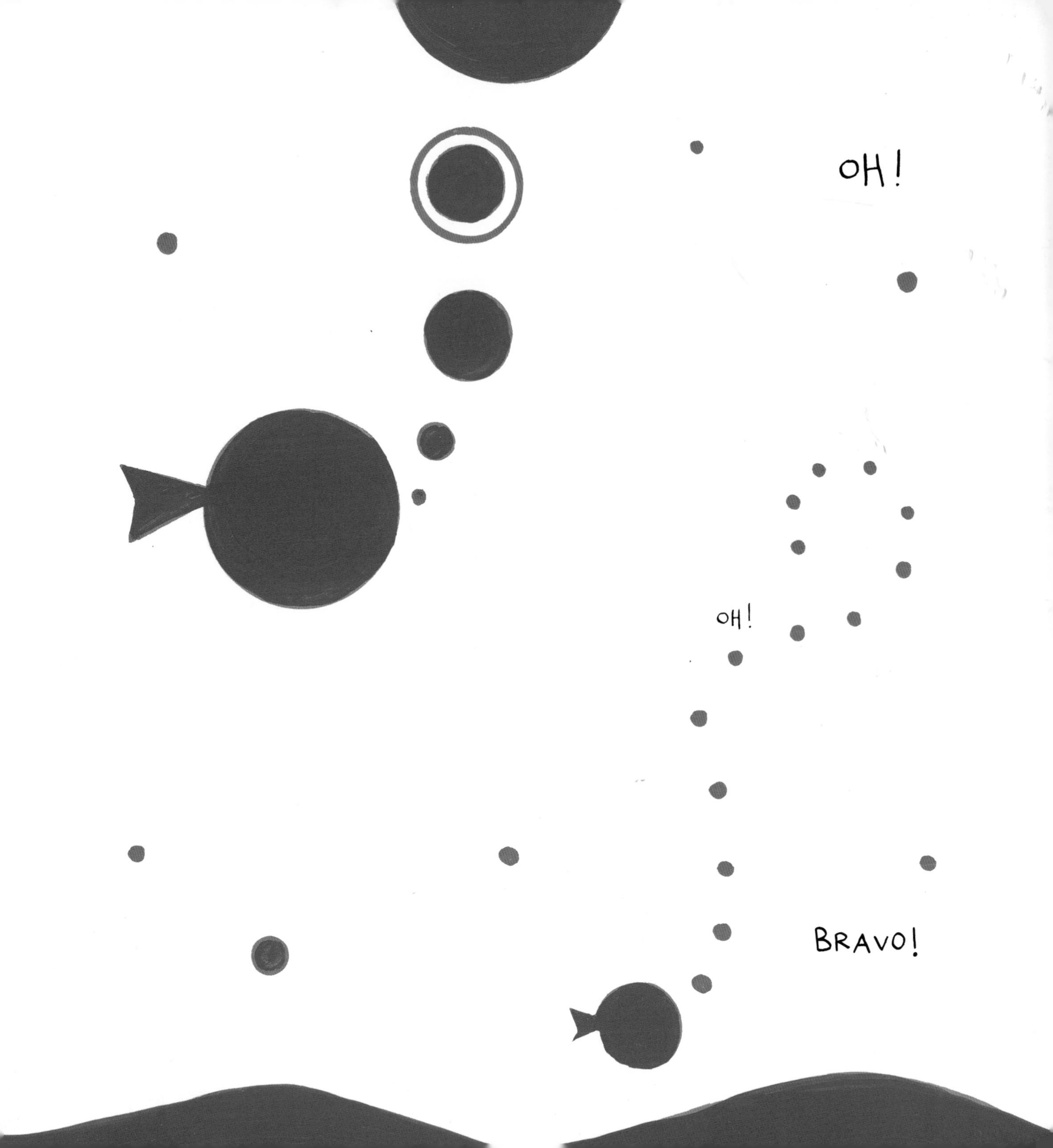
OH!
OH!
BRAVO!

MAINTENANT, IL FAIT FROID !
FAIS UN OH ! QUI TREMBLE.
(TU PEUX MÊME SECOUER LE LIVRE.)

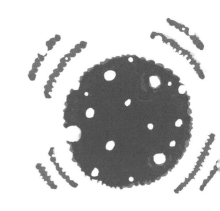

ET UN OH ! QUI PLEURE.

TRÈS RÉUSSI!

ON CONTINUE?

VOILÀ UN NOUVEAU COPAIN!

POSE TON DOIGT SUR LUI ET FAIS AH!
(C'EST SON NOM!)

QU'EST-CE QU'ILS PEUVENT
BIEN SE RACONTER ?

FAIS-LES DISCUTER.

Fais-les-par-ler-com-me-des-ro-bots.

□H□HAHAHAHOHAHOHAH!

Bravo!

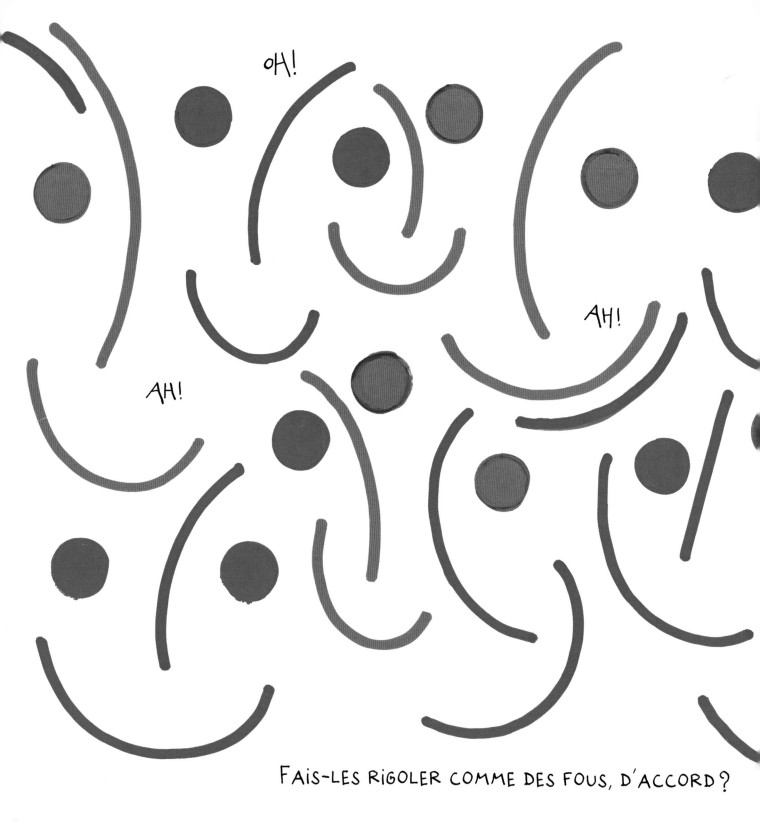

FAIS-LES RIGOLER COMME DES FOUS, D'ACCORD?

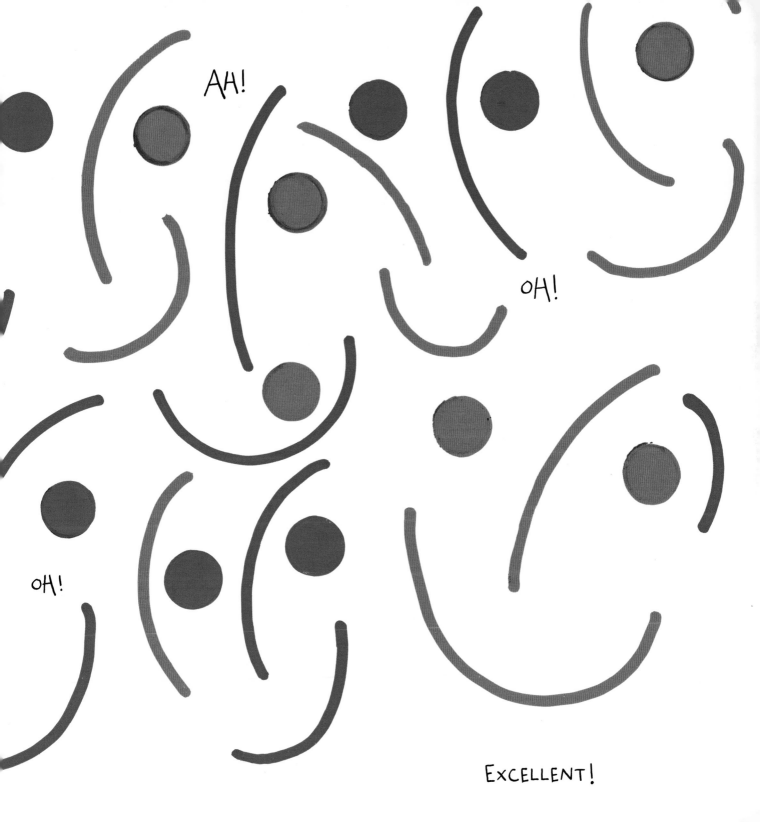

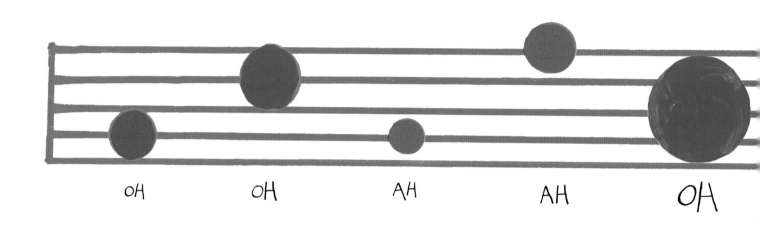

OH     OH     AH     AH     OH

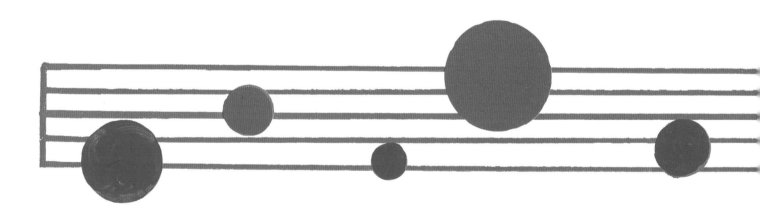

INVENTE UNE CHANSON, SUIS-LA AVEC TON DOIGT !

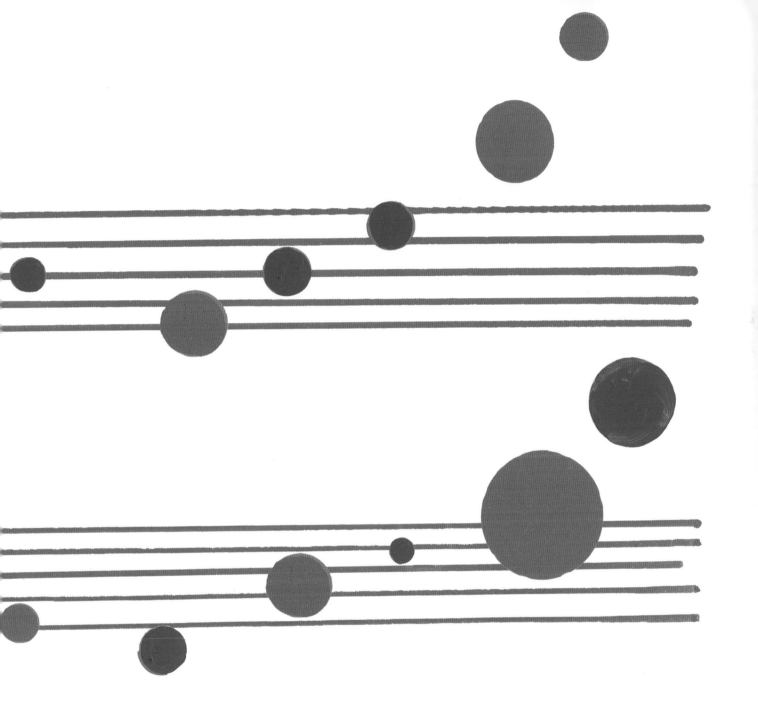

JOLi!

EMMÈNE-LES EN PROMENADE.
ATTENTION, ÇA MONTE
ET ÇA DESCEND!

ATTENTION, TU ES PRÊT? CONCOURS DE CRIS D'ANIMAUX!
VAS-Y!

PAS MAL... (QUEL BOUCAN!)

EUH... MAINTENANT,
IL FAUT LES RÉCONCILIER.
FAIS DES OH! ET DES AH!
TOUT DOUX, D'ACCORD?

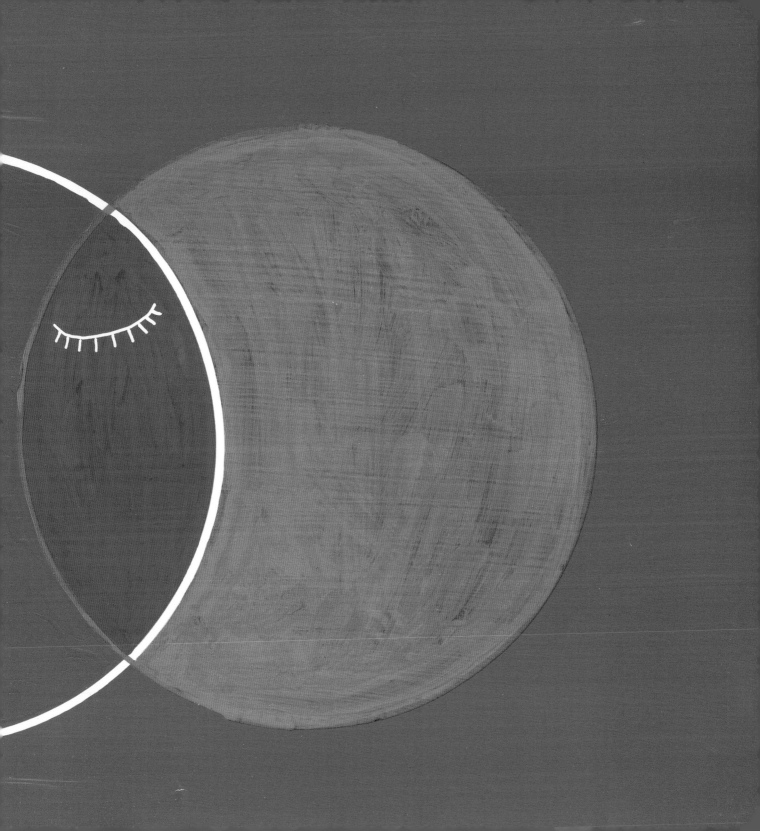

C'EST **WHAOU!**
DIS-LUI BONJOUR AVEC TON DOIGT.

ILS PARTENT EN BALADE.
MONTRE-LEUR LE CHEMIN
AVEC TON DOIGT !

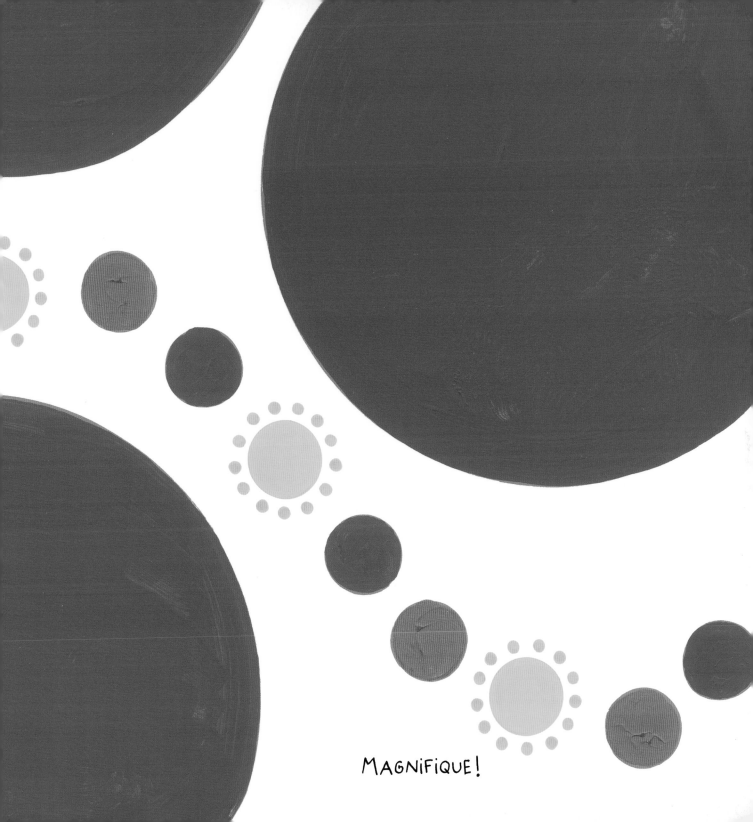

MAGNIFIQUE!

ATTENTION, CONCOURS DE TRAMPOLINE!
ÇA VA UN PEU VITE... VAS-Y!

AHAHAH AAAH

WHAOUHOU

ENCORE!

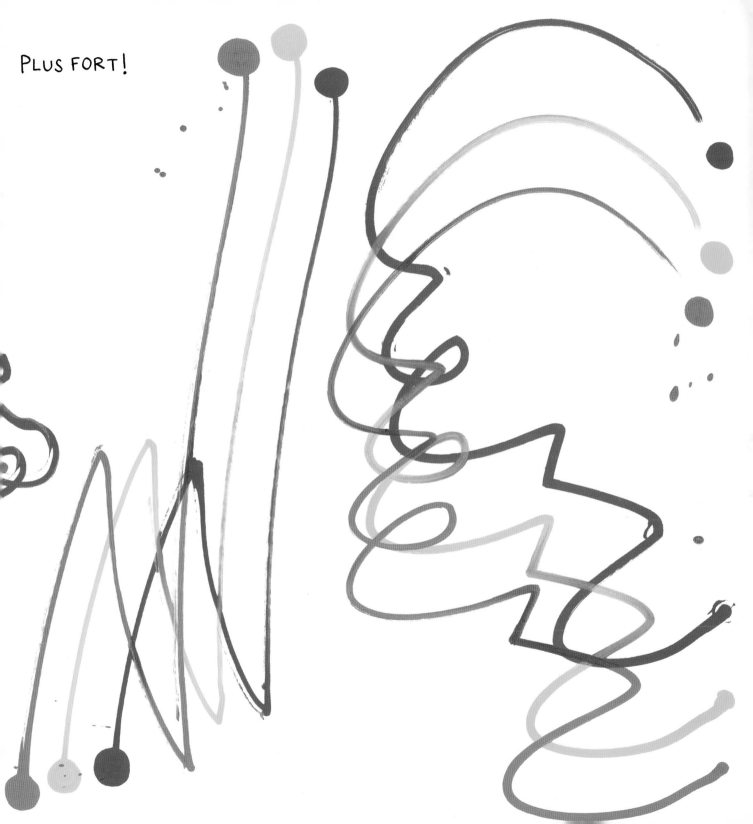

PLUS FORT!

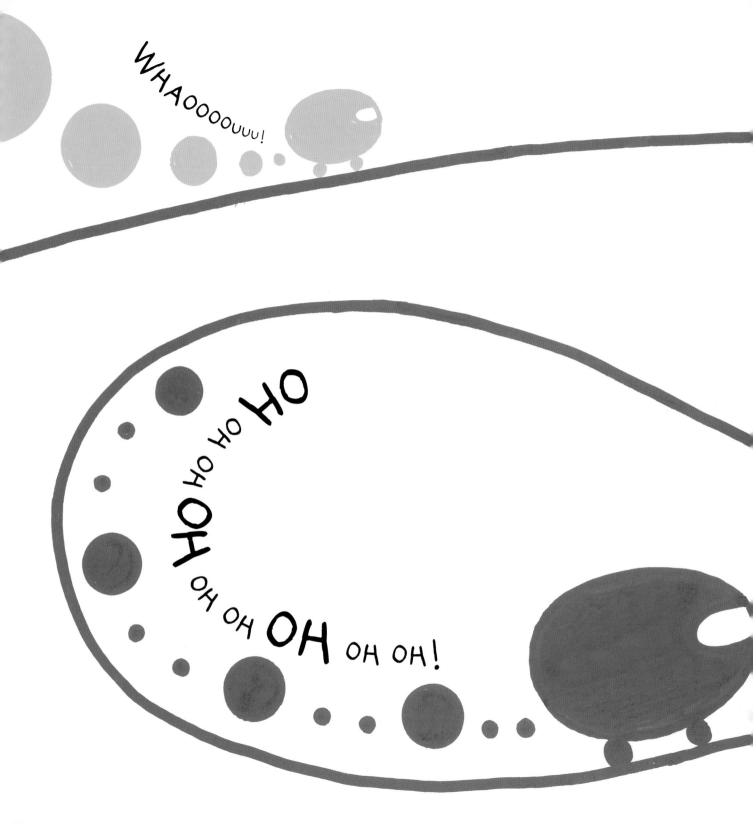

ET MAINTENANT, ILS FONT DES BRUITS DE VOITURES...

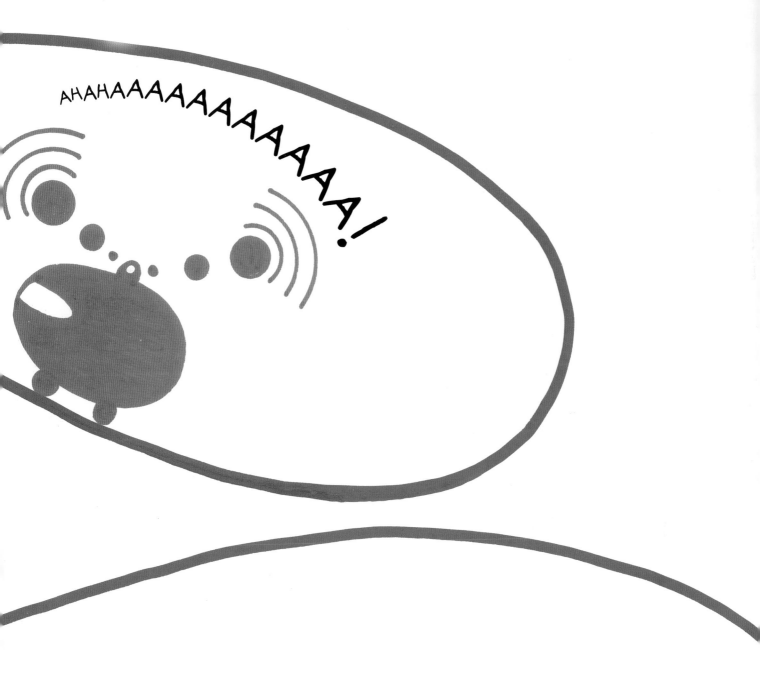

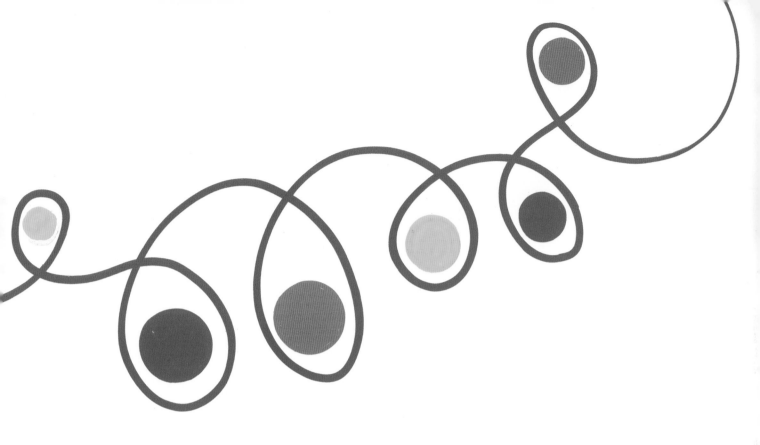

ILS FONT DES CHANTS D'OISEAUX...

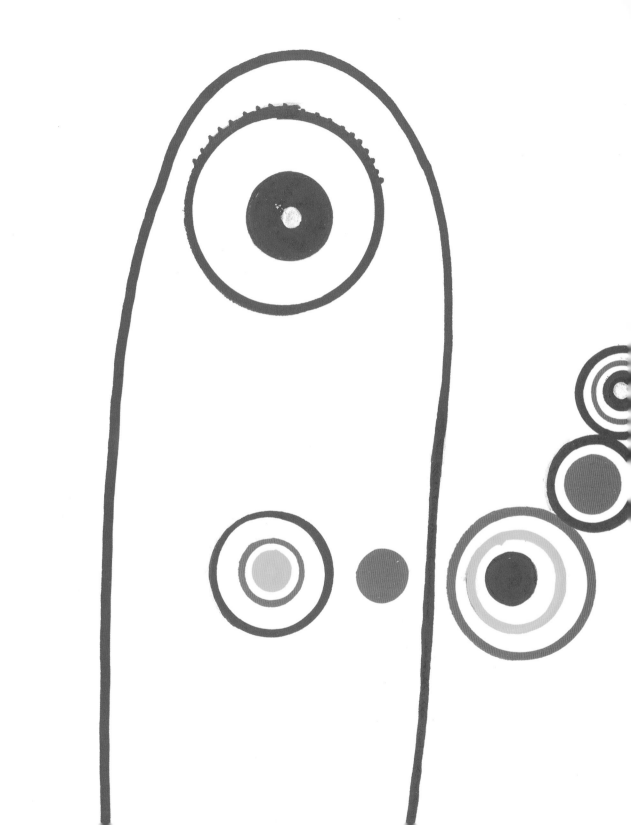

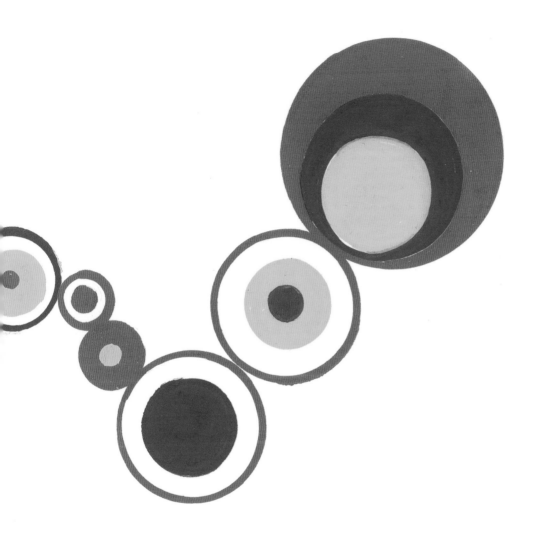

Ils inventent une langue inconnue...
OHAH! WAOUOHAH, AHWHAWAH HOHOU, WHAOOOO?

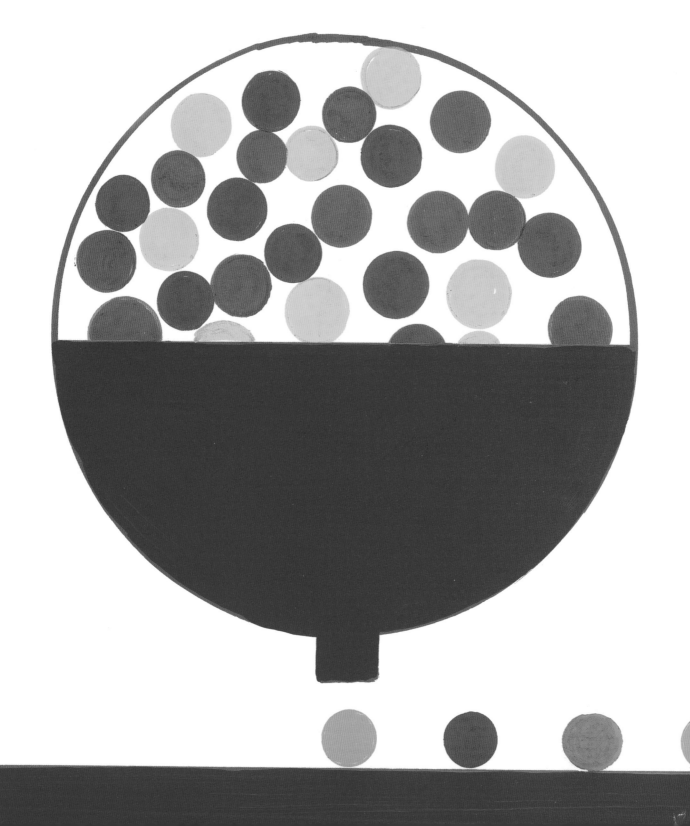

ÇA DONNE ENVIE D'INVENTER
PLEIN DE SONS NOUVEAUX, NON?

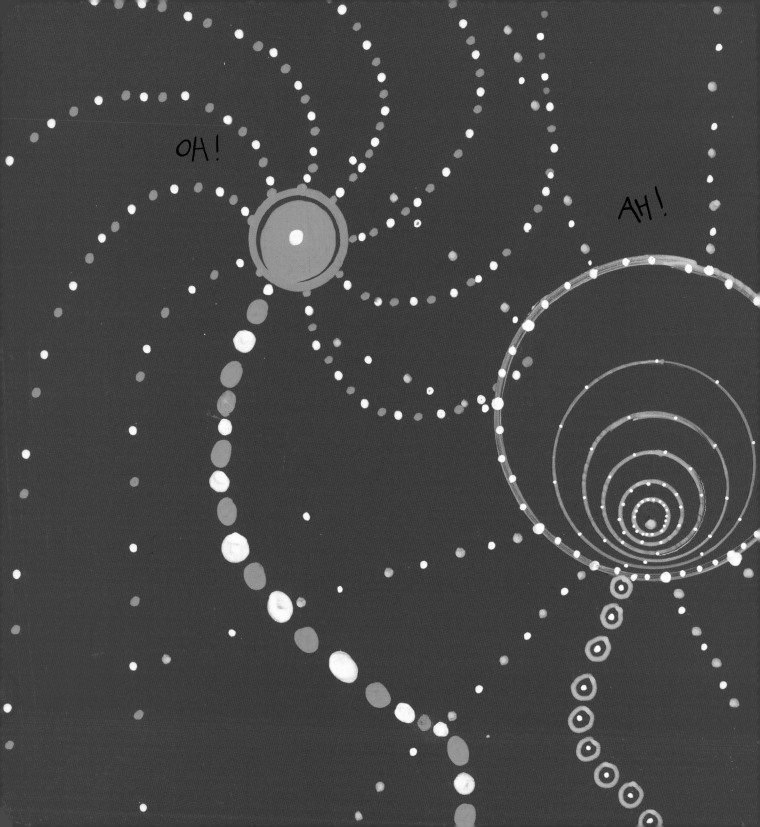

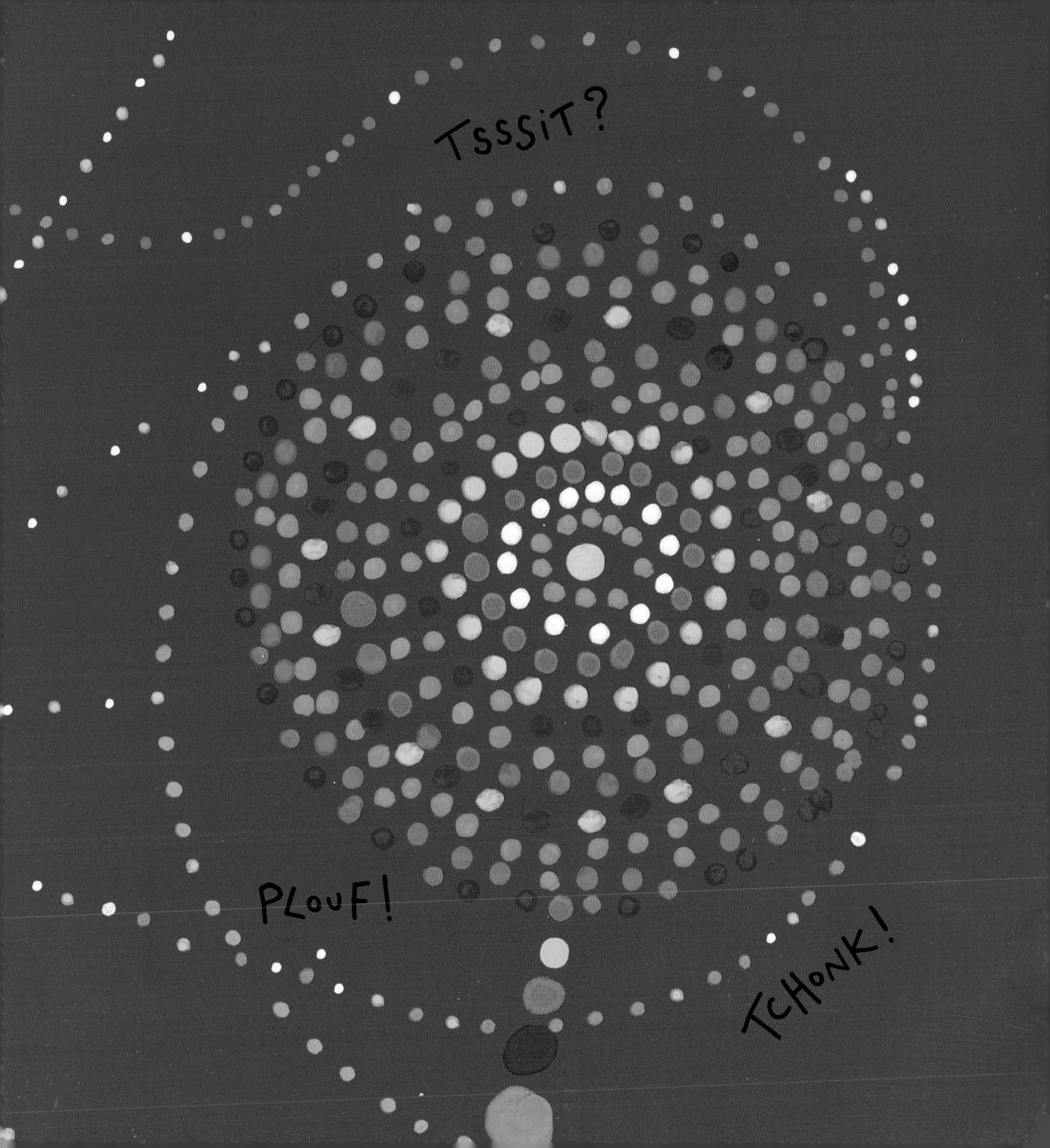
TSSSIT ?
PLOUF !
TCHONK !

PLEIN D'AUTRES LIVRES DE
# HERVÉ TULLET

LIVRE DE COLORIAGES

LE LIVRE AVEC UN TROU

À TOI DE GRIBOUILLER !

UN LIVRE

J'ARRIVE !

COUCOU ! C'EST MOI, TURLUTUTU

COULEURS

DESSINE !

ON JOUE ?

UN JEU

UN MÉMO

SUR L'APPSTORE : UN JEU

OÙ ES-TU TURLUTUTU?

ATELIER DESSINS

COPAIN? KÔPAIN!

merci isabelle

BATAILLES DE COULEUR

SANS TITRE

LES VACANCES DE TURLUTUTU

MAQUETTE: SANDRINE GRANON
ISBN: 978-2-7470-6607-5 ● © BAYARD ÉDITIONS 2017
18, RUE BARBÈS – 92120 MONTROUGE – FRANCE
DÉPÔT LÉGAL: MARS 2017 – 3E ÉDITION
LOI DU 16 JUILLET 1949 SUR LES PUBLICATIONS DESTINÉES À LA JEUNESSE
IMPRIMÉ EN CHINE
WWW.HERVE-TULLET.COM

FORT, VRAIMENT FORT!

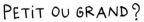

PETIT OU GRAND?